Canwn Fawl 2

ERIC JONES

CURIAD

Cynllun y clawr: Ruth Myfanwy

Argraffiad cyntaf: Gorffennaf 2000

ISBN: 1 897664 03 6
ISMN: M57010 384 3

CURIAD, Pen-y-Groes, Caernarfon, Gwynedd, Cymru/Wales LL54 6EY
☎ (01286) 882166
🖹 (01286) 882692
E-bost/E-mail: curiad@curiad.co.uk
Y We/Website: http://www.curiad.co.uk

RHAGAIR

Mae peth amser bellach ers cyhoeddi CANWN FAWL, a hyfrydwch yw deall fod caneuon y gyfrol honno'n cael eu perfformio'n rheolaidd ar achlysuron gwahanol. Mewn ymgais eto i ehangu ar ddeunydd priodol i ysgolion, eglwysi, a chymanfaoedd canu, bwriwyd ati i lunio cyfrol arall debyg, sydd unwaith eto'n cynnwys caneuon Cristnogol a fydd, gobeithio, yn addas ar gyfer amrywiaeth o gynulleidfaoedd.

Mae'r cynnyrch yn adlewyrchu dymuniad clodwiw ysgolion a chorau i gael deunydd newydd ar eu cyfer, ac wrth obeithio y caiff pobl bleser wrth ganu'r caneuon mae'n ddyletswydd cydnabod dawn awduron y geiriau i ysbrydoli cyfansoddwr y gerddoriaeth.

Mae croeso i gerddorion gyfoethogi'r cyfeiliannau ac i ychwanegu at yr offeryniaeth yn ôl y galw a'r arddull.

CANWN FAWL!

ERIC JONES

Cyflwynir y gyfrol i
Luned a Meinir

CYNNWYS

BRAWDOLIAETH

Geiriau: Waldo Williams

Cerddoriaeth: ERIC JONES

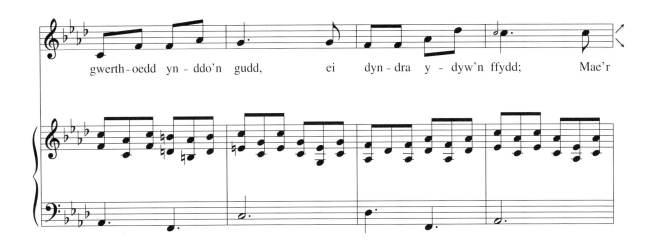

gwerth - oedd yn - ddo'n gudd,   ei   dyn - dra y - dyw'n ffydd;   Mae'r

1. 2. 3.

hwn   fo'n gaeth yn   rhydd, _____   Mae'r   hwn   fo'n   gaeth   yn

4.   *cresc.*

rhydd. _____   Mae'r   la - ddo   dyn   ei

cresc.

8

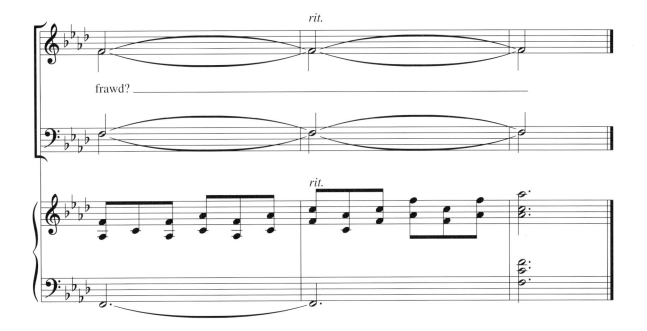

frawd?

2 Mae'r hen frawdgarwch syml
    Tu hwnt i ffurfiau'r Deml.
    Â'r Lefiad heibio i'r fan,
    Plyg y Samaritan.
    Myfi, Tydi, ynghyd
    Er holl raniadau'r byd –
    Efe'n cyfannu'i fyd.

3 Mae Cariad yn dreftâd
    Tu hwnt i Ryddid Gwlad.
    Cymerth yr Iesu ran
    Yng ngwledd y Publican.
    Mae concwest wych nas gwêl
    Y Phariseaidd sêl.
    Henffych y dydd y dêl.

4 Mae Teryrnas gref, a'i rhaith
    Yw cydymdeimlad maith.
    Cymod a chyflawn we
    Myfi, Tydi, Efe,
    A'n cyfyd uwch y cnawd.
    Pa werth na thry yn wawd
    Pan laddo dyn ei frawd?

UN SEREN WEN

Geiriau: Arwel John

Cerddoriaeth: ERIC JONES

1 Un se - ren wen uwch-ben y byd   Yn gloy - wi'r llwyb-rau at y
2 Un bre-nin doeth ag aur yn rhodd   Yn tei - thio at y crud o'i

crud,   Un Gab-ri - el ar no - son fwyn   Yn
fodd,   Un a - rall ddaw ar nos o gân   Â

oe - di dros le - chwe - ddau'r ŵyn;
thus yn an - rheg i'r un glân;
Un Jo - seff y - no gy - da
Un rho - ddwr hael o'r dwy - rain

poco rit.   1. *a tempo*

Mair,
draw,
Un ba - ban an - nwyl yn y gwair.
myrr ___ i'r Ie - su yn ei

2. *a tempo*   *mf*

law.
O un i un dros er - wau'r nos ___ Y

11

daw'r bu-gei-liaid tu - a'r rhos, _____ I'r lle - ty __ llwm ym

Meth - le - hem Yng ngo-lau'r se-ren __ glaer fel __ gem _____

rit.

I weld un plen-tyn yn ei grud

p

12

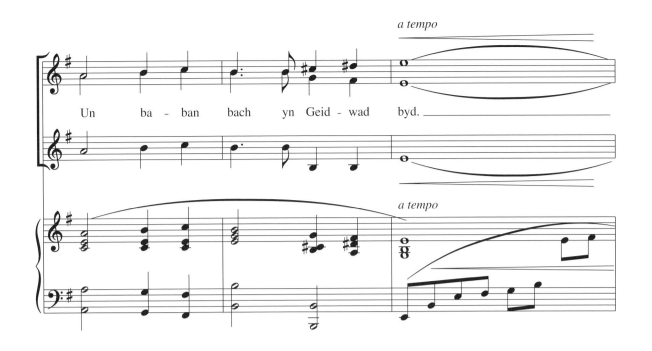

Un ba - ban bach yn Geid - wad byd.

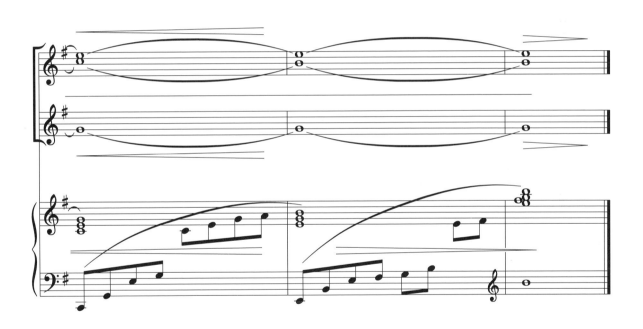

13

O! FABAN GLÂN

Geiriau: Scheidt, cyf. W. D. Williams

Cerddoriaeth: ERIC JONES

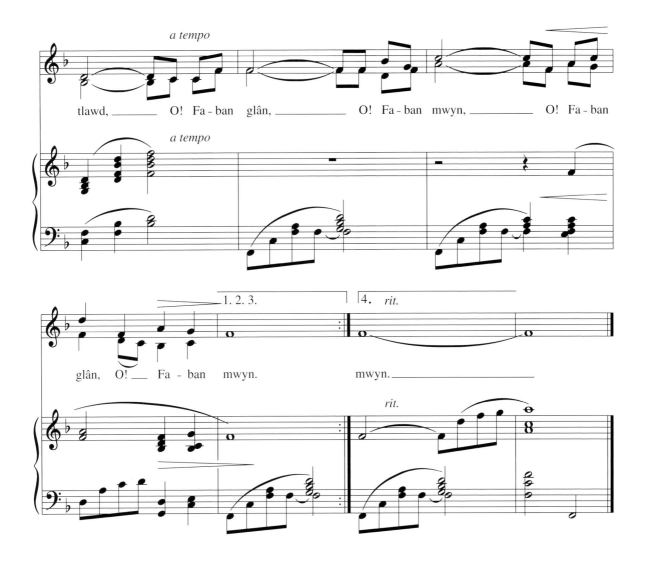

2 O! Faban glân, O! Faban mwyn,
   Llawn o'th lawenydd yw ein byd!
   Cysuron nef a roddi Di
   I bawb mewn poen a gyfyd gri,
   O! Faban glân, O! Faban mwyn,
   O! Faban glân, O! Faban mwyn.

3 O! Faban glân, O! Faban mwyn,
   Mor brydferth yw dy gariad pur!
   Rho inni fflam dy gariad Di
   Yn danbaid lewych ynom ni,
   O! Faban glân, O! Faban mwyn,
   O! Faban glân, O! Faban mwyn.

4 O! Faban glân, O! Faban mwyn,
   Dod gymorth in i wneud dy waith;
   Ti piau'n holl feddiannau ni,
   Boed ein teyrngarwch fyth i Ti,
   O! Faban glân, O! Faban mwyn,
   O! Faban glân, O! Faban mwyn.

PAN FO BUGEILIAID GYDA'R NOS

Geiriau: Arwel John

Cerddoriaeth: ERIC JONES

2   Rhag in anghofio'r asyn hwn
     Â baich y cread arno'n bwn,
     A rhag dibrisio'i ymdrech ddrud
     Awn gyda'r doethion at y crud,
     Awn gyda'r doethion at y crud.

3   Nid awn o falchder at y fan
     Lle rhoed y baban bach i'n rhan,
     Cans nid o gyfoeth ond o boen
     Y ganwyd Ef yn llety'r oen,
     Y ganwyd Ef yn llety'r oen.

4   Os oer y trothwy, llwyd y dellt,
     Cawn ein Gwaredwr yn y gwellt,
     Os llwm y llety, noson glaer
     Yw noson geni Mab y Saer,
     Yw noson geni Mab y Saer.

HENO MOR DLOS

Geiriau: Arwel John

Cerddoriaeth: ERIC JONES

1 He - no mor dlos ___ se - ren y nos, ___

Go - lau ___ dros Feth - lem dref; Dang - os o hyd ___

Grë-wr mewn crud, _ Ba - ban __ sy'n Fre - nin nef;

Doe-thion o'u bodd, __ pob un â'i rodd, ___ Oe-da __ dan o - lau'r

nos, Rho-ddwyd mewn crud _ Geid - wad byd, _

1. 2. 3. *Cytgan*

Rodd-ion __ dros fryn a rhos. Rhowch fe - lo - dï - au

19

he - no, ___ Rhowch gy - da'r doeth - ion dri,

Sein-iwch ___ dros wle - dydd dae - ar, Ga-nwyd ___ ein Ceid - wad

ni. Ie - su'n Dy - wy - sog

nef. _____

2   Heno mor glaer, golau'n yr aer,
     Llewyrch uwch breseb gwael;
     Rhoed yn y gwair blentyn bach Mair,
     Iesu yn rhodd mor hael;
     Seren y nos dros fryn a rhos,
     Oleua Bethlehem,
     Ganwyd i'r byd drysor drud
     Seren mor glaer â gem.

Cytgan:
    Rhowch felodïau heno, . . .

3   Heno mae'r byd a'i fiwsig i gyd,
     Eto yn llawenhau,
     Nodau y gân i'r plentyn bach glân,
     Baban â'i lygaid cau;
     Seiniwch yn llon i'r ddaear gron,
     Heno y ganwyd Ef;
     Iesu'n y gwair, faban Mair,
     Iesu'n Dywysog nef.

Cytgan:
    Rhowch felodïau heno, . . .

4   Heno mae'r byd a'i fiwsig i gyd
     Eto yn llawenhau,
     Nodau y gân i'r plentyn bach glân,
     Baban a'i lygaid cau;
     Seiniwch yn llon i'r ddaear gron,
     Heno y ganwyd Ef;
     Iesu'n y gwair, Faban Mair,
     Iesu'n Dywysog nef.

Cytgan:
    Rhowch felodïau heno, . . .

RHOWN GÂN O DDIOLCH

Geiriau: Alice Evans

Cerddoriaeth: ERIC JONES

ddaw o'th law — yn rhad, — o'th law — yn rhad, _____ Fe

ro-ddaist law i fe-di'r grawn Gan roi i ni 'sgu-bo-riau llawn, Ty-di sy'n rhoi pob

peth a gawn, _____ Rhown i Ti, rhown i

Ti, _____ rhown i Ti _____ ein mol-iant. __

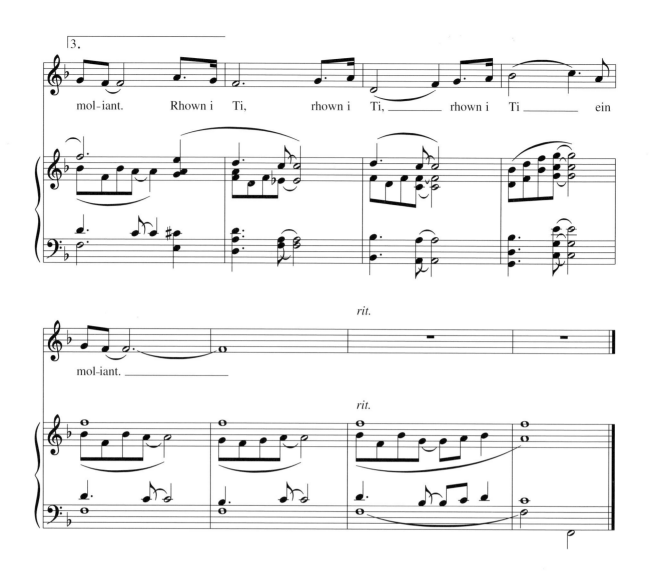

2   Rhown gân o ddiolch
    I Ti am wlad mor hardd,
    O! Dduw ein Tad.
    Am gân yr adar
    A blodau maes a'r ardd,
    O! Dduw ein Tad.
    Am ofal tyner mam a thad,
    Am ysgol hapus yn y wlad,
    Am gymorth ein hathrawon mad
    Rhown i Ti, rhown i Ti,
    Rhown i Ti ein moliant.

3   Rhown gân o ddiolch
    I ti am Iesu Grist,
    O! Dduw ein Tad.
    R'un ddaeth i'r ddaear
    I lonni'r gwael a'r trist,
    O! Dduw ein Tad.
    Wrth gofio am dy gariad cu,
    Wrth gofio am y rhoddion lu
    A gawn ni beunydd oddi fry
    Rhown i Ti, rhown i Ti,
    Rhown i Ti ein moliant.

LLUSERN

Geiriau: Alice Evans

Cerddoriaeth: ERIC JONES

O!

Dduw, gwna fi'n rhos-yn sy'n ty-fu yn hardd, Yn rhos-yn sy'n lle-du ei

ber-sawr drwy'r ardd, Pob pet-al yn tys-tio, drwy'r heul-wen a'r glaw, I'r

25

crë-wr a'i lun - iodd mor dy-ner â'i law; _ Gwna fi yn rhos-yn tra

by-ddaf i byw, _ Dysg fi i ddang-os go-gon-iant fy Nuw, _

Rho-ddi hap-us-rwydd fo'n ha-wydd o hyd, _ Gwas-gar la-we-nydd o'm

ham-gylch bob pryd. Llus-ern gwna fin-nau i

Cytgan

26

Ie - su drwy f'oes, _ Lla - char fo 'ngo - lau dros Ar - wr y Groes,

Llus - ern sydd beu - nydd yn gys - ur i'r trist, _ Llus - ern sy'n dang - os y

llwy - byr at Grist.

rit.

8ba

2   O! Dduw gwna fi'n debyg i Iesu'n y byd,
    Rho help i mi rodio'n ei lwybrau o hyd,
    Fe droediodd E'r ddaear gan leddfu pob cur,
    Ei eiriau yn ddoeth, a'i wefusau yn bur,
    Dilyn fy Ngheidwad a fynnaf bob dydd,
    Ynddo fe roddaf fy hyder a'm ffydd,
    Ef yw y cyfaill anwylaf sy'n bod,
    Ef yw fy ngobaith, ac Ef yw fy nod.

Cytgan:
    Llusern gwna finnau . . .

GWYN EU BYD

Geiriau: W. Rhys Nicholas

Cerddoriaeth: ERIC JONES

1 Gwyn eu byd y
2 Gwyn eu byd y

tlawd eu hys-bryd, Gos - ty - nge - dig rai;
rhai ga - la - rus Ar y ddae - ar hon,

Ei - ddynt hwy fydd teyr - nas gwyn - fyd Yn ddi -
Pro - fi wnânt ddi-dda - nwch me - lys Dan eu

-yl - ion　　　Tra　bônt　byw.

7 Gwyn eu byd y tang - ne - fedd - wyr,　Hwy yw plant y

Tad;　　Dys - gant ga - ru pawb o'u bro - dyr

Ym　mhob　gwlad.

YR ARGLWYDD YW FY MUGAIL DA

Geiriau: Ieuan S. Jones

Cerddoriaeth: ERIC JONES

Yr Arg - lwydd yw fy __ Mu-gail da, Di -

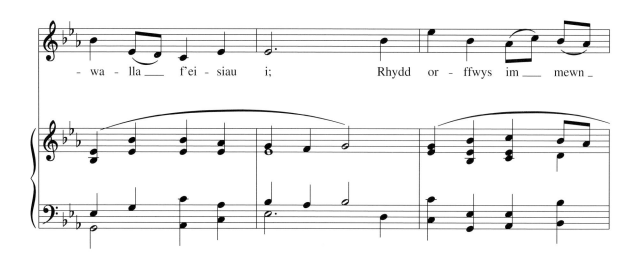

- wa - lla __ f'ei - siau i; Rhydd or - ffwys im __ mewn __

por - fa __ fras, __ Caf __ ro - dio'n hedd __ y __ lli.

Cenir gweddill y penillion fel tôn gron i bedwar llais, gyda mynediad pob bar - naill ai'n ddigyfeiliant, neu i gyfeiliant yr ostinato isod, gan orffen gyda chord cyntaf y bar.

2   Efe a ddychwel f'enaid blin,
        Fe'm harwain i bob awr
         'R hyd llwybrau ei gyfiawnder pur,
        Er mwyn ei enw mawr.

3   Pe rhodiwn drwy y dyffryn du
        Nid ofnwn ddim o'i fraw;
        Fy nghysur a'm hamddiffyn yw –
        Fy Mugail sydd wrth law.

4   Yng ngŵydd fy ngwrthwynebwyr oll
        Arlwya ford i mi;
        Ag olew ira Ef fy mhen,
        A'm ffiol, llawn yw hi.

5   Daioni a thrugaredd Duw
        A'm dilyn hyd fy nhaith,
        A chaf gartrefu gyda'm Tad,
        I dragwyddoldeb maith.

HIRAETH AM IESU

Geiriau: J. Eirian Davies

Cerddoriaeth: ERIC JONES

1 Pam nad yw dyn yn cael blas ar fyw Yng - ha - nol mwyn - de - rau'r

byd? _____ Pam nad yw dyn yn cael hedd i'w fron, A'i

daith yn wyn ar ei hyd _____ A pham na chawn ein lla-

-we-nydd yn llawn? Y byd sy'n wag, dy-na'i gyd. _____ Mae

hir-aeth, fel ton, Am Ie-su'n ein bron, Mae hir-aeth am Ie-su'n ein

bron. _____ Mae hir-aeth, fel ton, Am Ie-su'n ein bron, Mae

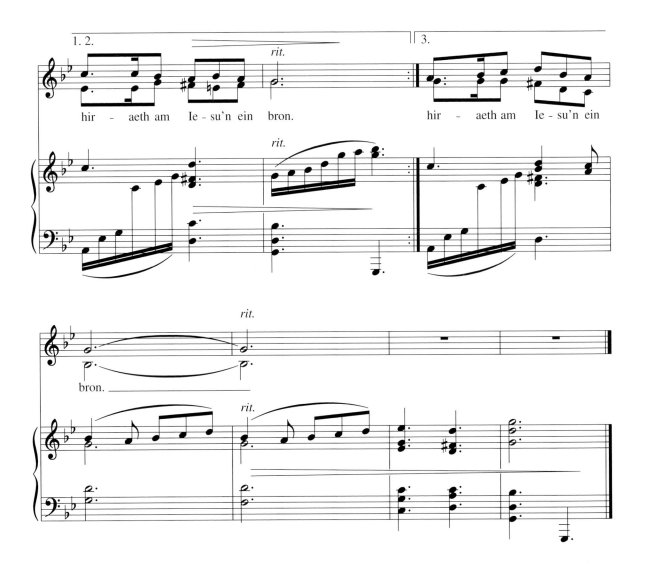

hir – aeth am Ie-su'n ein bron.   hir – aeth am Ie-su'n ein

bron.

2   Gwag yw y byd er ei wynfyd a'i wên,
     A'i esgyrn yn sych yn y glyn;
     Oer yw ei lais wrth ein galw i ddod
     I'n dal yn ei fraich yn dynn;
     A phwy, O! pwy a'n rhyddha, trwy Ei glwy,
     Ond yr Un fu â'i Groes ar y Bryn?

Cytgan:
     Mae hiraeth, fel ton, . . .

3   O! na chaem weld yn ein plith yn awr
     Rhyw arwydd o'r Awel Gref
     A'i sŵn fel su yn dod i lawr
     Yn Ysbryd cynhyrfus o'r Nef,
     A'r esgyrn brau yn tragwyddol fwynhau
     Wrth weld mai yr Iesu yw Ef.

Cytgan:
     Mae hiraeth, fel ton, . . .

HALELIWIA

Geiriau: D. J. Thomas

Cerddoriaeth: ERIC JONES

1 Am gael mwyn-hau ben-dith-ion yn was-

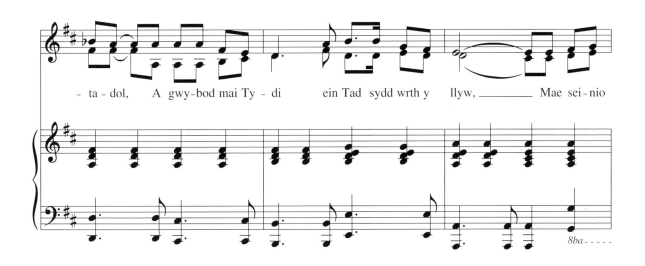

-ta - dol, A gwy-bod mai Ty - di ein Tad sydd wrth y llyw, _____ Mae sei-nio

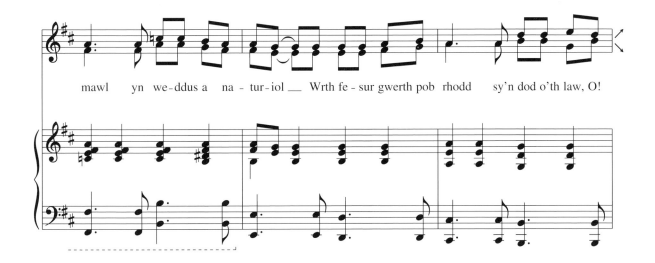

mawl yn we-ddus a na-tur-iol __ Wrth fe - sur gwerth pob rhodd sy'n dod o'th law, O!

2   Gweddïo wnawn am ras a dawn i noddi
       Ein crefydd rhag llesgáu wrth frwydro yn ein hoes;
       Rhaid gollwng Crist yn rhydd o liw ffenestri,
       I rodio mwy i ddangos rhinwedd gwaed y Groes.

Cytgan:
    Clyw, o Dduw, . . .

3   Rwyt Ti, O Dduw, drwy'r Ysbryd Glân yn denu
       Yr ifanc o bob gwlad i dderbyn Iesu Grist;
       Ymwêl â'r praidd sydd eto'n dal i gredu
       Mai Eglwys fyw a chryf yw gobaith daear drist.

Cytgan:
    Clyw, o Dduw, . . .

ENEINIOG DUW

Geiriau: W. Rhys Nicholas

Cerddoriaeth: ERIC JONES

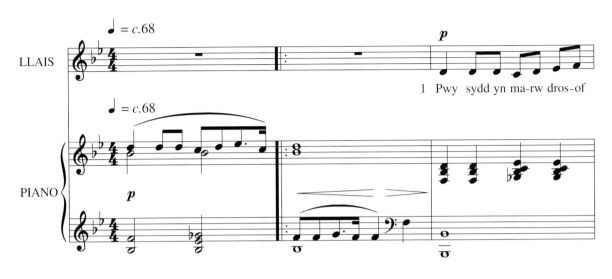

1 Pwy sydd yn ma-rw dros-of

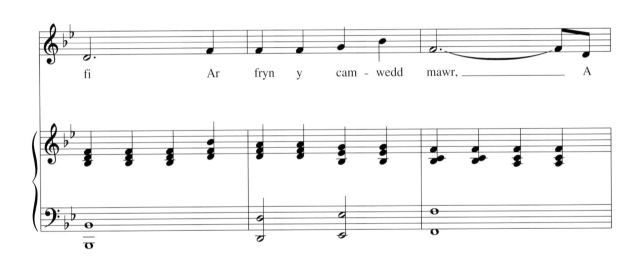

fi   Ar fryn y cam - wedd mawr, _____ A

grym ma - ddeu-ant yn ei air _____ Yn __ ing yr o - laf

awr? _____ Yr Ie-su yw, _____ E - nei - niog Duw, Yr

an - fo - ne - dig glân, _____ Caf yn - ddo Ef _____ or - fo - ledd

byw _____ A rhin y dwy - fol dân.

1. 2. 3.

4.

dân. _____ Yr Ie-su yw, _____ E - nei - niog Duw, Yr

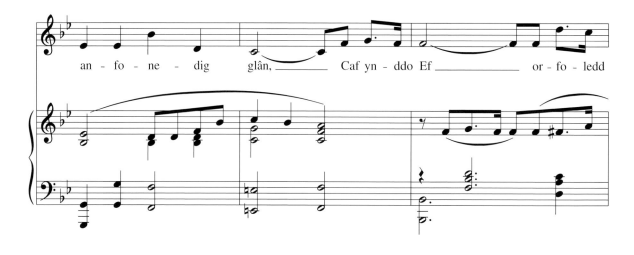

an - fo - ne - dig   glân, _____   Caf yn - ddo Ef _____   or - fo - ledd

byw _____   A   rhin   y _____   dwy - fol   dân. _____

2   Pwy sydd yn eiriol drosof fi,
       Bechadur gwael ei wedd,
       Gan ennill imi bardwn rhad
       A bywyd llawn o hedd?

Cytgan:
       Yr Iesu yw, Eneiniog Duw, . . .

3   Pwy sydd yn erfyn arnaf fi
       I'w ganlyn dan y Groes,
       Heb ofni gwg na gofyn gwên,
       Nes llwyr sancteiddio f'oes?

Cytgan:
       Yr Iesu yw, Eneiniog Duw, . . .

4   Pwy sydd yn addo fyth i mi
       Lawenydd dwys y saint,
       A mwynder ei dangnefedd Ef
       O hyd yn rhyfedd fraint?

Cytgan:
       Yr Iesu yw, Eneiniog Duw, . . .

CARIAD CRIST

Geiriau: W. Rhys Nicholas

Cerddoriaeth: ERIC JONES

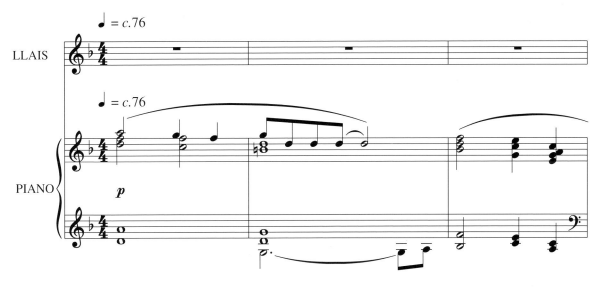

1 'O! gwe-lwch y claf sy fan draw,' me-ddai Ef, 'O!

gwe-lwch y by-ddar a'r dall,' me-ddai Ef; 'Fe fyn-nwn eu gwe-lla, rhaid

i - ddyn nhw fyw, Maent hwy-thau yn fei-bion a mer-ched i Dduw.'

Rhoi ie-chyd a go-baith, a llon-ni'r rhai trist, _ Rhoi

ys - tyr i fy-wyd wna car - iad y Crist. _

2 'O!   Rhoi ie-chyd a go-baith, a

llon-ni'r rhai trist,   Rhoi ys-tyr   i   fy-wyd wna car - iad   y   Crist.

2   'O! gwelwch y dorf sy heb fwyd,' meddai Ef,
       'Rhown iddyn nhw fara yn awr,' meddai Ef;
       'Rhaid rhannu pob bendith a gawn ni o hyd,
       A rhannu llawenydd â phobloedd y byd.'

Cytgan:
       Rhoi iechyd a gobaith . . .

3   'O! gwelwch y rhai sy ar goll,' meddai Ef,
       'Fel defaid heb fugail yw'r rhain,' meddai Ef;
       'Rhaid inni eu cyrchu a'u dwyn hwy yn ôl,
       Ac fe gariwn yr ŵyn yn saff yn ein côl.'

Cytgan:
       Rhoi iechyd a gobaith . . .

4   'O! gwelwch greulondeb y byd,' meddai Ef,
       'Rhaid concro casineb yn awr,' meddai Ef;
       'Nid ofnaf wynebu y rhai sy'n rhoi loes,
       Dros gyfaill a gelyn mi fentraf i'r Groes.'

Cytgan:
       Rhoi iechyd a gobaith . . .

FY NGWEDDI

Geiriau: Arwel John

Cerddoriaeth: ERIC JONES

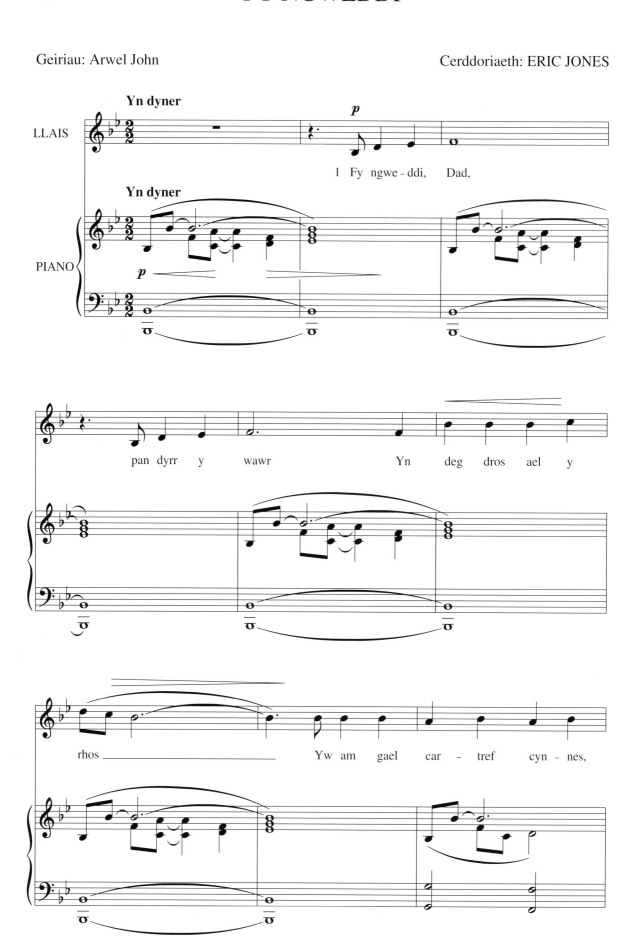

2   Fy ngweddi, Dad, pan fyddo gwres
     Yn machlud ar y ffridd,
     Yw diolch am y pethau da
     Sy'n dod i ni bob dydd.

3   Fy ngweddi, Dad, pan fyddo'r haul
     Yn ddisglair wyn o hyd,
     Yw am gartrefi cynnes, glân,
     I holl blant bach y byd.

4   Fy ngweddi, Dad, a'r nos yn fwyn,
     Yw cofio plant ein gwlad,
     Rho nerth i minnau weld yn dda
     I'th garu Di, ein Tad.

MIWSIG YN EIN CALON

Geiriau: D. J. Thomas

Cerddoriaeth: ERIC JONES

1 Y mae miw-sig __ yn lla-nw __ ein ca - lon Am fod

Duw yn __ ein ca-ru __ mor fawr, Rho-ddwn i-ddo __ ein di-olch __ yn

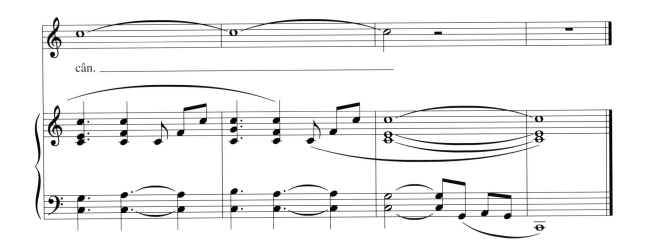

cân.

2 Rhoddodd heulwen a chawod i'r ddaear,
  A daeth bywyd i erwau ein gwlad;
  Ef yw awdur tymhorau y flwyddyn,
  Mae'n datgloi ei stôr i roi yr had.

Cytgan:
  Haleliwia, Haleliwia, . . .

3 Y mae meysydd yn wyn i'r cynhaeaf,
  Ac mae'r gweithwyr yn araf yn dod;
  Ond daw gwanwyn ysbrydol i'n deffro:
  Y mae Duw o hyd yn byw a bod.

Cytgan:
  Haleliwia, Haleliwia, . . .

O'R HEDYN

Geiriau: Arwel John

Cerddoriaeth: ERIC JONES

1 O'r he - dyn by - chan, lliw - gar, A blan - nwn yn ___ yr

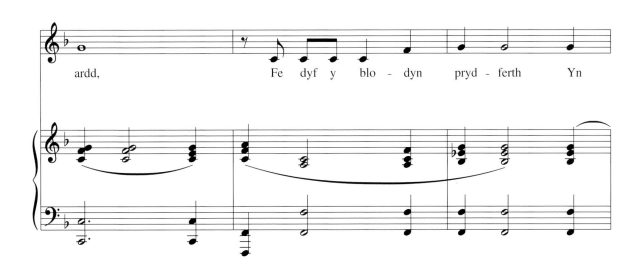

ardd, Fe dyf y blo - dyn pryd - ferth Yn

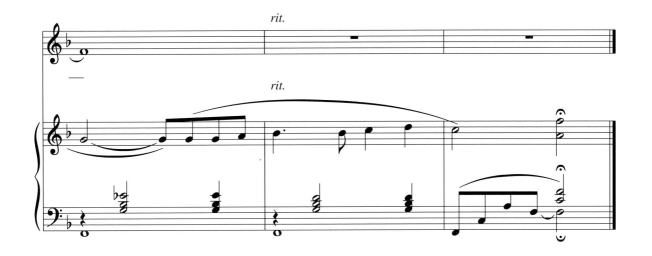

2   O'r wy bach smotiog, melyn
       Fe dyf y cyw bach crwn,
       Y ceiliog mawr sy'n clochdar
       A ddaw, rhyw ddydd, o hwn.

Cytgan:

       I Ti mae'r diolch, Arglwydd,   . . .

3   Daw mil o greaduriaid
       Drwy blisgyn bach yr wy,
       Pob un yn tyfu'n gyson
       Bob dydd yn fwy a mwy.

Cytgan:

       I Ti mae'r diolch, Arglwydd,   . . .

BENDITHIA, DDUW, YR OEDFA HON

Geiriau: Alice Evans

Cerddoriaeth: ERIC JONES

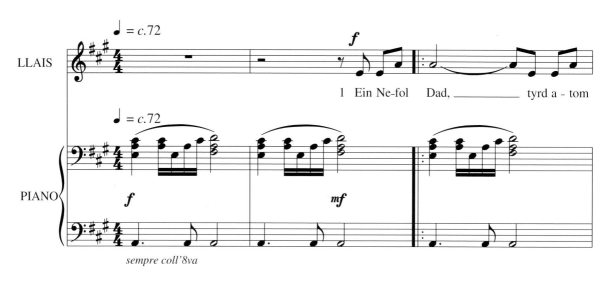

1 Ein Ne-fol Dad, _____ tyrd a-tom

ni, _____ Rho yn ein ge - nau d'eir-iau Di, _____ A boed i'th

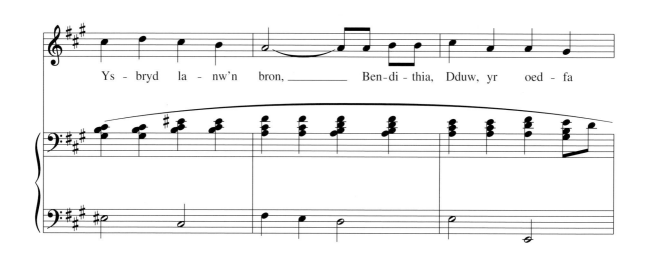

Ys - bryd la - nw'n bron, _____ Ben-di-thia, Dduw, yr oed - fa

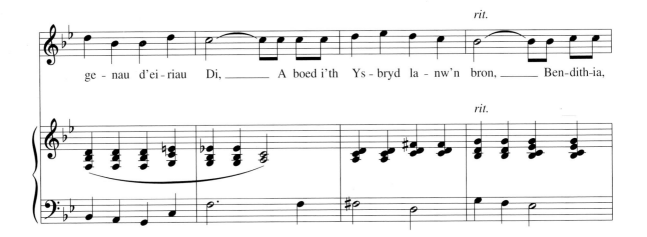

ge - nau d'ei - riau Di, _____ A boed i'th Ys - bryd la - nw'n bron, _____ Ben - dith - ia,

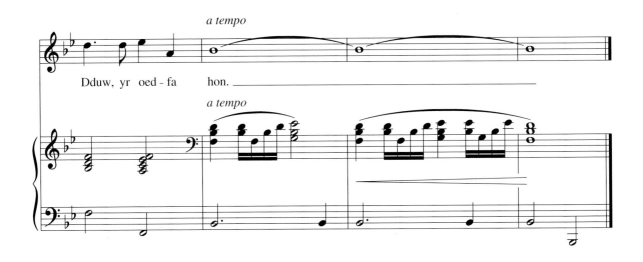

Dduw, yr oed - fa hon. _____

2   O atal ddwylo'r treiswyr blin
Sy'n cael eu boddio wrth gam-drin;
Boed iddynt glywed ingol gri
Bob truan, trwy dy glustiau Di.
Ein nefol Dad . . .

3   Gwna ni'n garedig iawn, bob un,
At bawb a grewyd ar dy lun;
Ac wrth roi cymorth, boed i ni
Ei estyn yn dy enw Di.
Ein nefol Dad . . .

4   Perffeithia Di bob dysg a dawn
Sydd ynom ni, a phob peth wnawn;
Ti biau'r cyfan feddwn ni,
Mewn diolch plygwn lin i Ti.
Ein nefol Dad . . .